# EL CONEJITO KNUFFLE

UN CUENTO ALECCIONADOR POR Mo Willems

TRADUCIDO POR F. Isabel Campoy

HYPERION PAPERBACKS FOR CHILDREN / NEW YORK

No hace mucho tiempo,
antes de que supiera
hablar, Trixie se fue
a hacer un recado con
su papá. . . .

Trixie y su papá fueron hasta la esquina,

pasaron frente a la escuela,

y entraron en la lavandería.

Trixie ayudó a su papá a meter la ropa en la lavadora.

Hasta puso
el dinero en
la máquina.

Entonces se fueron.

Pero a una cuadra, más o menos . . .

Trixie **se dio cuenta**

**de algo.**

Trixie miró a su papá y le dijo,

—Eso es— contestó su papá.

—Vamos a casa.

dijo Trixie otra vez.

–Anda, por favor, no te pongas quisquillosa–
dijo su papá.

Claro, a Trixie no le quedó
más remedio . . .

y berreó.

Se convirtió en un trapo.

Hizo todo lo que pudo para que se dieran cuenta de lo enfadada que estaba.

Cuando llegaron a casa
su papá también estaba
enfadado.

Nada más abrir la puerta, la mamá de Trixie preguntó,

Toda la familia corrió hasta la esquina.

Y cruzaron el parque corriendo.

hasta llegar a la lavandería.

El papá de Trixie buscó al conejito Knuffle.

Y buscó . . .

y buscó . . .

y buscó . . .

Pero el conejito Knuffle no estaba por ningún sitio. . . .

Así que el papá de Trixie decidió
volver a buscar otra vez.

Hasta que . . .

Y esas fueron las primeras palabras que dijo Trixie.

Este libro está dedicado
a la verdadera Trixie y a su mamá.
Con agradecimiento especial
a Anne y Alessandra;
Noah, Megan, y Edward;
y a la lavandería del 358 de la Avenida Sexta;
y a los vecinos de Park Slope, Brooklyn.

-Mo